La abeja haragana

Texto : Horacio Quiroga

Ilustraciones : Alfredo Benavidez Bedoya

Shinseken

Había una vez en una colmena una abeja que no quería trabajar, es decir recorría los árboles uno por uno para tomar el jugo de las flores; pero en vez de conservarlo para convertirlo en miel, se lo tomaba del todo.

Era, pues, una abeja haragana. Todas las mañanas, apenas el sol calentaba el aire, la abejita se asomaba a la puerta de la colmena, veía que hacía buen tiempo, se peinaba con las patas, como hacen las moscas, y echaba entonces a volar, muy contenta del lindo día. Zumbaba muerta de gusto de flor en flor, entraba en la colmena, volvía a salir, y así se lo pasaba todo el día mientras las otras abejas se mataban trabajando para llenar la colmena de miel, porque la miel es el alimento de las abejas recién nacidas.

Como las abejas son muy serias, comenzaron a disgustarse con el proceder de la hermana haragana. En la puerta de las colmenas hay siempre unas cuantas abejas que están de guardia para cuidar que no entren bichos en la colmena. Estas abejas suelen ser muy viejas, con gran experiencia de la vida y tienen el lomo pelado porque han perdido todos los pelos de rozar contra la puerta de la colmena.

Un día, pues, detuvieron a la abeja haragana cuando iba a entrar, diciéndole: "Compañera: es necesario que trabajes, porque todas las abejas debemos trabajar."

La abejita contestó : "Yo ando todo el día volando, y me canso mucho." "No es cuestión de que te canses mucho," respondieron, "sino de que trabajes un poco. Es la primera advertencia que te hacemos."

Y diciendo así la dejaron pasar.

Pero la abeja haragana no se corregía. De modo que a la tarde siguiente las abejas que estaban de guardia le dijeron: "Hay que trabajar, hermana."

Y ella respondió en seguida: "¡Uno de estos días lo voy a hacer!" "No es cuestión de que lo hagas uno de estos días", le respondieron, "sino mañana mismo. Acuérdate de esto." Y la dejaron pasar.

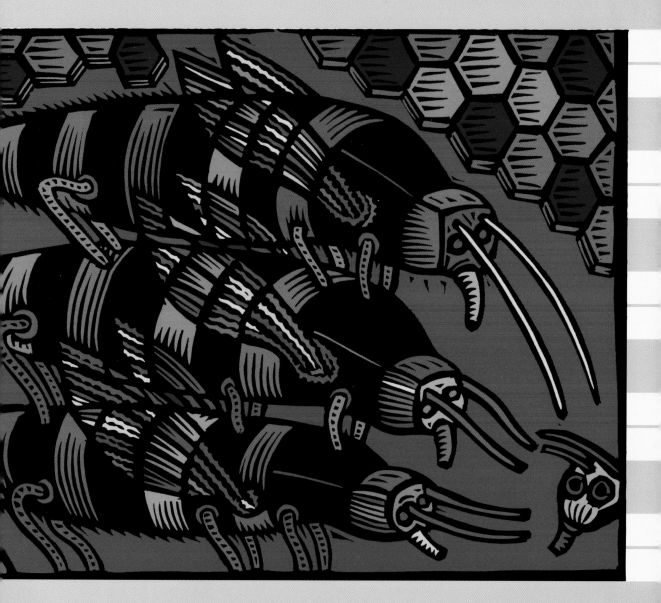

Al anochecer siguiente se repitió la misma cosa. Antes de que le dijeran nada, la abejita exclamó:

"¡Sí, sí, hermanas ! ¡Ya me acuerdo de lo que he prometido!"

"No es cuestión de que te acuerdes de lo prometido" le respondieron, "sino de que trabajes. Hoy es 19 de abril. Pues bien: trata de que mañana, 20, hayas traído una gota siquiera de miel. Y ahora, pasa."

Y diciendo esto, se apartaron para dejarla entrar.

Pero el 20 de abril pasó en vano como todos los demás. Con la diferencia de que al caer el sol el tiempo se descompuso y comenzó a soplar un viento frío.

La abejita haragana voló apresurada hacia su colmena, pensando en lo calentito que estaría allá dentro. Pero cuando quiso entrar, las abejas que estaban de guardia se lo impidieron.

"¡No se entra !" le dijeron fríamente. "¡Yo quiero entrar !" clamó la abejita. "Ésta es mi colmena."

"Ésta es la colmena de unas pobres abejas tra-bajadoras", le contestaron las otras. "No hay entrada para las haraganas."

"¡Mañana sin falta voy a trabajar!" insistió la abejita.

"No hay mañana para las que no trabajan ", respondieron las abejas, que saben mucha filosofía.

Y esto diciendo la empujaron afuera.

La abejita, sin saber qué hacer, voló un rato aún; pero ya la noche caía y se veía apenas. Quiso cogerse de una hoja, y cayó al suelo. Tenía el cuerpo entumecido por el aire frío, y no podía volar más.

Arrastrándose entonces por el suelo, trepando y bajando de los palitos y piedritas, que le parecían montañas, llegó a la puerta de la colmena, a tiempo que comenzaban a caer frías gotas de lluvia.

"¡Ay, mi Dios!", clamó la desamparada. "Va a llover, y me voy a morir de frío."

Y tentó entrar en la colmena.

Pero de nuevo le cerraron el paso.

"¡Perdón!"gimió la abeja. "¡Déjenme entrar!"

"Ya es tarde", le respondieron.

"¡Por favor, hermanas! ¡Tengo sueño!"

"Es más tarde aún."

"¡Compañeras, por piedad! ¡Tengo frío!"

"Imposible."

"¡Por última vez! ¡Me voy a morir!"

Entonces le dijeron: "No, no morirás. Aprenderás en una sola noche lo que es el descanso ganado con el trabajo. Vete."

Y la echaron.

Entonces, temblando de frío, con las alas mojadas y tropezando, la abeja se arrastró, se arrastró hasta que de pronto rodó por un agujero; cayó rodando, mejor dicho, al fondo de una caverna.

Creyó que no iba a concluir nunca de bajar. Al fin llegó al fondo, y se halló bruscamente ante una víbora, una culebra verde de lomo color ladrillo, que la miraba enroscada y presta a lanzarse sobre ella.

En verdad, aquella caverna era el hueco de un árbol que habían trasplantado hacía tiempo, y que la culebra había elegido de guarida.

Las culebras comen abejas, que les gustan mucho. Por esto la abejita, al encontrarse ante su enemiga, murmuró cerrando los ojos:

"¡Adiós mi vida! Ésta es la última hora que yo veo la luz."

Pero con gran sorpresa suya, la culebra no solamente no la devoró sino que le dijo:

"¿Qué tal, abejita? No has de ser muy trabajadora para estar aquí a estas horas."

"Es cierto", murmuró la abeja. "No trabajo, y yo tengo la culpa."

"Siendo así" agregó la culebra, burlona, "voy a quitar del mundo a un mal bicho como tú. Te voy a comer, abeja."

La abeja temblando, exclamó entonces:

"¡No es justo eso, no es justo! No es justo que usted me coma porque es más fuerte que yo. Los hombres saben lo que es justicia."

"¡Ah, ah! ", exclamó la culebra, enroscándose ligero. "¿Tú conoces bien a los hombres? ¿Tú crees que los hombres que les quitan la miel a ustedes, son más justos, grandísima tonta?"

"No, no es por eso que nos quitan la miel" respondió la abeja.

"¿Y por qué, entonces? "

"Porque son más inteligentes."

Así dijo la abejita. Pero la culebra se echó a reír, exclamando:

"¡Bueno! Con justicia o sin ella, te voy a comer; apróntate."

Y se echó atrás, para lanzarse sobre la abeja. Pero ésta exclamó :

"Usted hace eso porque es menos inteligente que yo."

"¿Yo menos inteligente que tú , mocosa? " , se rió la culebra.

"Así es ", afirmó la abeja.

"Pues bien", dijo la culebra , "vamos a verlo. Vamos a hacer dos pruebas. La que haga la prueba más rara, ésa gana. Si gano yo, te como."

"¿Y si gano yo?" preguntó la abejita.

"Si ganas tú" repuso su enemiga, "tienes el derecho de pasar la noche aquí , hasta que sea de día. ¿Te conviene? "

"Aceptado", contestó la abeja.

La culebra se echó a reír de nuevo, porque se le había ocurrido una cosa que jamás podría hacer una abeja. Y he aquí lo que hizo:

Salió un instante afuera, tan velozmente que la abeja no tuvo tiempo de nada. Y volvió trayendo una cápsula de semillas de eucalipto, de un eucalipto que estaba al lado de la colmena y que le daba sombra.

Los muchachos hacen bailar como trompos esas cápsulas, y les llaman trompitos de eucalipto.

"Esto es lo que voy a hacer", dijo la culebra. "¡Fíjate bien, atención!"

Y arrollando vivamente la cola alrededor del trompito como un piolín la desenvolvió a toda velocidad, con tanta rapidez que el trompito quedó bailando y zumbando como un loco.

La culebra se reía, y con mucha razón, porque jamás una abeja ha hecho ni podrá hacer bailar a un trompito. Pero cuando el trompito, que se había quedado dormido zumbando, como les pasa a los trompos de naranjo, cayó por fin al suelo, la abeja dijo:

"Esa prueba es muy linda, y yo nunca podré hacer eso."

"Entonces, te como", exclamó la culebra.

"¡Un momento! Yo no puedo hacer eso; pero hago una cosa que nadie hace."

"¿Qué es eso?"

"Desaparecer."

"¿Cómo?", exclamó la culebra, dando un salto de sorpresa.

"¿Desaparecer sin salir de aquí?"

"Sin salir de aquí."

"¿Y sin esconderte en la tierra?"

"Sin esconderme en la tierra."

"Pues bien, ¡hazlo! Y si no lo haces, te como en seguida" dijo la culebra.

El caso es que mientras el trompito bailaba, la abeja había tenido tiempo de examinar la caverna y había visto una plantita que crecía allí. Era un arbustillo, casi un yuyito, con grandes hojas del tamaño de una moneda de dos centavos.

La abeja se arrimó a la plantita, teniendo cuidado de no tocarla, y dijo así: "Ahora me toca a mí, señora Culebra. Me va a hacer el favor de darse vuelta, y contar hasta tres. Cuando diga "tres", búsqueme por todas partes, ¡ya no estaré más!"

Y así pasó, en efecto. La culebra dijo rápidamente: "uno..., dos..., tres", y se volvió y abrió la boca cuan grande era, de sorpresa: allí no había nadie. Miró arriba, abajo, a todos lados, recorrió los rincones, la plantita, tanteó todo con la lengua. Inútil: la abeja había desaparecido.

 La culebra comprendió entonces que si su prueba del trompito era muy buena, la

prueba de la abeja era simplemente extraordinaria.

¿Qué se había hecho? ¿Dónde estaba? No había modo de hallarla.

"¡Bueno!", exclamó por fin. "Me doy por vencida. ¿Dónde estás?"

 Una voz que apenas se oía —la voz de la abejita— salió del medio de la cueva.

"¿No me vas a hacer nada?", dijo la voz . "¿Puedo contar con tu juramento?"

"Sí ", respondió la culebra .   "Te lo juro. ¿Dónde estás?"

"Aquí", respondió la abejita , apareciendo súbitamente de entre una hoja cerrada

de la plantita.

¿Qué había pasado? Una cosa muy sencilla: la plantita en cuestión era una sensitiva, muy común también aquí en Buenos Aires, y que tiene la particularidad de que sus hojas se cierran al menor contacto. Solamente que esta aventura pasaba en Misiones, donde la vegetación es muy rica, y por lo tanto muy grandes las hojas de las sensitivas. De aquí que al contacto de la abeja, las hojas se cerraran, ocultando completamente al insecto.

La inteligencia de la culebra no había alcanzado nunca a darse cuenta de este fenómeno; pero la abeja lo había observado, y se aprovechaba de él para salvar su vida.

La culebra no dijo nada, pero quedó muy irritada con su derrota, tanto que la abeja pasó toda la noche recordando a su enemiga la promesa que había hecho de respetarla.

Fue una noche larga, interminable, que las dos pasaron arrimadas contra la pared más alta de la caverna, porque la tormenta se había desencadenado, y el agua entraba como un río adentro.

Hacía mucho frío, además, y adentro reinaba la oscuridad más completa. De cuando en cuando la culebra sentía impulsos de lanzarse sobre la abeja, y ésta creía entonces llegado el término de su vida.

Nunca, jamás, creyó la abejita que una noche podría ser tan fría, tan larga, tan horrible. Recordaba su vida anterior, durmiendo noche tras noche en la colmena, bien calentita, y lloraba entonces en silencio.

Cuando llegó el día, y salió el sol, porque el tiempo se había compuesto, la abejita voló y lloró otra vez en silencio ante la puerta de la colmena hecha por el esfuerzo de la familia. Las abejas de guardia la dejaron pasar sin decirle nada, porque comprendieron que la que volvía no era la paseandera haragana, sino una abeja que había hecho en sólo una noche un duro aprendizaje de la vida.

Así fue, en efecto. En adelante, ninguna como ella recogió tanto polen ni fabricó tanta miel. Y cuando el otoño llegó, y llegó también el término de sus días, tuvo aún tiempo de dar una última lección antes de morir a las jóvenes abejas que la rodeaban:

"No es nuestra inteligencia, sino nuestro trabajo quien nos hace tan fuertes. Yo usé una sola vez de mi inteligencia, y fue para salvar mi vida. No habría necesitado de ese esfuerzo, si hubiera trabajado como todas. Me he cansado tanto volando de aquí para allá , como trabajando. Lo que me faltaba era la noción del deber, que adquirí aquella noche.

Trabajen, compañeras, pensando que el fin a que tienden nuestros esfuerzos —la felicidad de todos— es muy superior a la fatiga de cada uno. A esto los hombres llaman ideal, y tienen razón. No hay otra filosofía en la vida de un hombre y de una abeja."

La abeja haragana

En cualquier parte del mundo, la abeja es símbolo del trabajo. Por la mañana, bien temprano, la abeja sale de la colmena, va de acá para allá recolectando el néctar de las flores y vuelve a casa para almacenar la miel. Después sale de nuevo, repitiendo siempre la misma operación. Como cientos y cientos de estos pequeños insectos trabajan juntos, la colmena crece de tamaño, el número de abejas aumenta y la miel se acumula. Por esto, una abeja haragana es algo que no encaja en el sistema.

Sea como fuese, la abeja de esta historia no trabajaba. Por más reprimendas que recibía, no se corregía y acabó siendo expulsada de la colmena. Para que esta abeja peligrosa y excepcional se corrigiese, hizo falta un castigo también excepcional: frente a frente con una cobra, la abejita corrió el riesgo de perder la vida. La experiencia pareció surtir efecto porque la abeja excepcional dejó de serlo y pasó a ser tan trabajadora como las demás.

Horacio Quiroga

Escritor uruguayo. Nació en Salto, Uruguay, en 1878. Su actividad literaria se desarrolla principalmente en la Argentina, no sólo en Buenos Aires, sino también en la región de Misiones, cuya selva él amaba profundamente. Esta selva es el escenario de los CUENTOS DE LA SELVA, editados en 1918. LA ABEJA HARAGANA es uno de los cuentos más populares de esta colección. Falleció en 1937.

Alfredo Benavidez Bedoya
Uno de los nombres más representativos del grabado latinoamericano, Alfredo B. Bedoya, nació en 1951 en Buenos Aires, Argentina. Después de una larga carrera universitaria, que incluye estudios de arte en la Escuela de Bellas Artes 'Prilidiano Pueyrredón' y becas en España y Estados Unidos, inició una larga carrera artística que ya dura más de 20 años. Ha participado en exposiciones en más de 20 países, destacando su contribución en numerosos acontecimientos artísticos ocurridos en Japón, donde ha obtenido varios premios. Este es su primer álbum ilustrado.

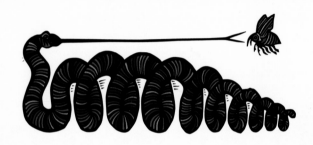

La abeja haragana

2002年4月10日発行

作	Horacio Quiroga（オラシオ・キロガ）		
絵	Alfredo Benavidez Bedoya（アルフレッド・ベナヴィデス・ベドジャ）		
デザイン	有薗 栄子		
発行人	M. クレスポ	印刷・製本	（株）太平印刷社
発行所	新世研	定価	本体2761円＋税
〒177-0041	東京都練馬区石神井町6-27-29	ISBN	4-88012-447-8
TEL 03 (3995) 8871 / FAX 03 (5393) 0456		Printed in Japan	

乱丁・落丁本は，お取り替えいたします。